Le silex magique

Couleurs : Christophe Araldi
Conception graphique : Valérie Gibert et Philippe Sedletzki

Hachette Livre, 43 quai de Grenelle, 75015 Paris.

Sophie Marvaud

Illustrations : Céline Papazian

Le silex magique

HACHETTE

Quelque part loin des routes, caché au cœur d'une forêt profonde, se trouve un château très vieux, immense et sombre, appelé :
le Château des Ombres.

Les héros

Cléo est toujours en pleine forme. Ce qu'elle préfère, c'est grimper aux arbres, nager, et courir à toute vitesse. Elle trouve la vie très intéressante et elle a toujours plein de questions à poser. Quelle chance que son meilleur ami, Balthazar, ait réponse à tout... ou presque !

Grodof, le chien de Cléo, est un bâtard aussi malin qu'un teckel, aussi rapide qu'un lévrier, aussi costaud qu'un rottweiler et aussi tendre qu'un labrador. Mais il est le seul chien au monde à avoir de longues oreilles pointues, enroulées sur elles-mêmes comme des tire-bouchons.

Balthazar adore réfléchir comme un détective. Il sait énormément de choses, grâce à son ordinateur, à la télé et aux livres. Il déteste se bagarrer, ou jouer au foot. Mais il accompagne partout Cléo, sa meilleure amie, parce qu'avec elle, il est sûr de ne jamais s'ennuyer !

Chaque soir, au douzième coup de minuit, dans le grand donjon de l'aile nord, apparaissent sept fantômes.

Les enfants attendent avec impatience ce moment magique.

Traînant leur lourd boulet au bout d'une chaîne, les sept fantômes traversent les murs en gémissant. Ils errent dans la salle des gardes, glaciale, et plus sombre que la nuit. En montant l'escalier en colimaçon, ils s'énervent contre le boulet qui les tire en arrière. Au cours de leur vie, ils ont fait une très, très grosse bêtise. Quand ils étaient vivants, cette bêtise les empêchait de dormir.

Maintenant qu'ils sont morts, son souvenir les empêche de s'envoler vers le Pays du Repos Souriant.

De toutes leurs forces,
ils espèrent que quelqu'un
viendra les délivrer…

Un jour, le dernier des sept fantômes dépose au bas de l'escalier **UN SILEX TAILLÉ**.

Les enfants s'en approchent... Et ils sont transportés au cœur d'une incroyable aventure...

Chapitre 1

Un fantôme préhistorique

— Cléo ! s'exclame Balthazar. Regarde ! On dirait un silex taillé, comme en fabriquaient les hommes de la préhistoire…

Fasciné, il ne peut s'empê-

cher de prendre la pierre dans sa main.

— Balthazar ! s'écrie Cléo. N'oublie pas que…

Trop tard. Son meilleur ami a déjà disparu. Grodof dresse les oreilles, l'air de dire : « Alors, Cléo… Prête pour un petit voyage dans le passé ? »

En haut de l'escalier, le fantôme se retourne et les regarde. À travers le drap fin comme un voile, Cléo distingue un homme barbu et chevelu, vêtu de peaux de bêtes.

Serrant son boulet contre son cœur, il gémit :

— Ma fille... Ma pauvre fille adorée !

Ensemble, Cléo et Grodof touchent la pierre taillée. Autour d'eux, le château disparaît, la vallée se remplit de hautes herbes et d'arbustes sauvages...

Cléo se retrouve dans une grotte, à mi-hauteur de la falaise, à côté de Balthazar, mais aussi d'une vingtaine d'hommes, de femmes et d'enfants, assis autour d'un grand feu. Tous sont vêtus de peaux de bêtes.

Dehors, la nuit est d'une noirceur totale. De temps en temps, on entend le hurlement d'un animal.

— C'est exactement comme dans un film sur la préhistoire, murmure Balthazar, fasciné.

Cléo cherche Grodof des yeux. Le seul chien de la

grotte a les poils beaucoup plus longs que lui… bien qu'il lui ressemble un peu… avec ses oreilles tirebouchonnées.

— C'est toi, mon chien ? lui dit-elle à voix basse.

— Ouaf ! répond Grodof en lui léchant la main.

Mais il s'écarte du feu comme s'il en avait peur, et court hors de la grotte.

Le futur fantôme bombe le torse devant les flammes et brandit son silex.

— Mes amis ! crie-t-il. Écoutez-moi ! Écoutez votre chef Grand Cerf Rouge !

Dans quelques instants, dès les premières lueurs de l'aube, nous irons chasser l'aurochs. J'ai repéré l'endroit où le troupeau vient boire à la rivière.

Les hommes échangent des regards inquiets. Les femmes murmurent :

— La chasse à l'aurochs, il n'y a pas plus dangereux…

À voix basse, Cléo interroge Balthazar :

— C'est quoi, un aurochs ?

— Une sorte de vache, couverte de laine.

— Ça a l'air rigolo, comme bête ! J'aimerais bien en voir un.

— Ah, j'oubliais : ils font deux mètres de haut, et ils ont des cornes gigantesques.

— Ah bon ! Euh... Alors, je les observerai de loin !

— Ne vous inquiétez pas, dit Grand Cerf Rouge à sa tribu. J'ai un très bon plan. Nous allons d'abord séparer un aurochs du reste du troupeau. Un chasseur se suspendra à sa queue et lui coupera les jarrets. L'aurochs s'écroulera et ce sera un jeu d'enfant de l'achever. Ensuite, nous recommencerons avec un autre animal, puis encore un autre.

— C'est quoi, un jarret ? souffle Cléo à son meilleur ami.

— Le muscle qui se trouve derrière le genou, explique Balthazar. Si tu le coupes, l'aurochs ne peut plus tenir debout.

— Le moment un peu délicat, admet Grand Cerf Rouge, c'est celui où, d'une main, on coupe le jarret, et

de l’autre, on tient fermement la queue de l’aurochs… Alors, pour abattre trois aurochs, il me faut trois chasseurs habiles.

Chapitre 2

Colosse d'Argile

Deux hommes costauds lèvent aussitôt la main.

— Moi !

— Je suis volontaire !

Les autres chasseurs se mettent à contempler les peintures

qui ornent la grotte. Grand Cerf Rouge pianote sur son silex.

— Puisque personne d'autre ne se propose, je désigne… Colosse d'Argile.

Tous semblent soulagés, sauf une jeune fille rondelette qui pousse un cri :

— Non, Papa ! Tu ne peux pas faire ça ! Colosse d'Argile a énormément de qualités, mais tu sais très bien qu'il n'est pas assez costaud pour se battre contre un aurochs ! Et je ne veux pas qu'il meure ! Je l'aime !

Grand Cerf Rouge se fâche :

— Roche Tendre ! Je t'ai déjà dit mille fois que seul un vrai chasseur aura le droit de t'épouser !

Un jeune homme se lève. Il est tout maigrichon avec des yeux doux et intelligents.

— Je suis prêt, Grand Cerf Rouge.

Et doucement, il repousse Roche Tendre qui s'accroche à lui. Cléo et Balthazar échangent un regard. Pauvre Colosse d'Argile ! Il n'a vraiment pas la carrure d'un chasseur !

À voix basse, Cléo demande à son meilleur ami :

— Tu crois que c'est ça qui rendra le fantôme de Grand Cerf Rouge tellement malheureux ? D'avoir un jour envoyé un maigrichon à la chasse ?

— Possible... Surtout qu'il ne s'agit pas de n'importe quel maigrichon. C'est l'amoureux de sa fille...

Au signal donné par Grand Cerf Rouge, les hommes et les garçons saisissent leurs armes : des propulseurs, des javelots, des haches, des arcs et des flèches. Comme Balthazar ne bouge pas,

un garçon de son âge l'interpelle :

— Allez, dépêche-toi !

— Moi ? fait Balthazar, stupéfait.

— Ben oui, comme tout le monde !

Et il lui met un javelot entre les mains. Balthazar se met à claquer des dents. Et ce n'est pas de froid !

— Quelle chance tu as ! s'émerveille Cléo.

Tu auras plein de choses à raconter aux copains quand on reviendra à l'école !

— Je voudrais bien te voir à ma place, proteste son ami.

— Oh, là, là, moi aussi ! Tu crois que les filles vont passer

la journée dans cette caverne ?

— Mais non. Tu vas sûrement aller cueillir des fruits.

Les hommes s'éloignent et Balthazar se dépêche de les suivre. Le pire, ce serait de se retrouver tout seul, nez à nez avec un aurochs !

Quand même un peu inquiète, Cléo se poste à côté de Roche Tendre. Du bord de la caverne, on voit très bien la vallée verdoyante et la rivière qui scintille au soleil.

Un troupeau d'aurochs se désaltère tranquillement. Soudain, les chasseurs surgissent. Une bête est séparée du groupe. Avec courage, Colosse d'Argile s'élance et réussit à lui attraper la queue !

— Hourra ! crie Roche Tendre.

Hélas, l'aurochs fouette l'air avec sa queue, terriblement fort. Le pauvre Colosse d'Argile ne peut rien faire d'autre que s'agripper des deux mains. Impossible de trancher les jarrets !

Furieux de ce poids, l'animal fonce dans un bosquet. Colosse d'Argile

est frappé de plein fouet par des branches basses. Assommé, il tombe à terre, tandis que l'aurochs s'enfuit.

— Colosse d'Argile ! s'écrie Roche Tendre, en dévalant la falaise.

Contrairement à son amoureux, elle est très musclée. Lorsqu'elle finit par le rejoindre, elle n'a aucun mal à le prendre dans ses bras et à le porter jusqu'à la caverne pour le soigner.

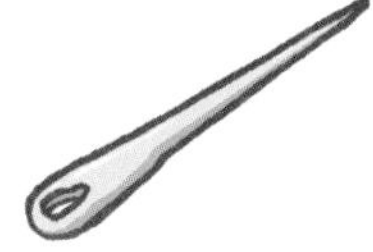

Chapitre 3

Une terrible colère

Le soir, une délicieuse odeur de viande grillée accueille les hommes qui reviennent de la chasse. Cléo se précipite au-devant de son meilleur ami, qui semble tout essoufflé.

— Ça va, Balthazar ? Tu n'es pas blessé ?

— Si, regarde !

Il lui montre sa jambe ensanglantée. Inquiète, Cléo se penche pour l'examiner. Puis elle relève la tête, soulagée.

— C'est rien du tout. Des égratignures…

— Je suis quand même tombé dans un framboisier !

— Ah, c'est ça ! Ce rouge, j'ai cru que c'était du sang...

En apercevant Colosse d'Argile assis tout pâle dans un coin, Grand Cerf Rouge fronce les sourcils :

— Je n'ai jamais vu un chasseur aussi minable !

Roche Tendre se dresse devant lui.

— Papa ! Colosse d'Argile n'est pas le plus costaud de la tribu, d'accord. Mais c'est le plus intelligent. De toute façon, jamais je n'épouserai quelqu'un d'autre !

Grand Cerf Rouge se met en colère. Ses cris résonnent dans la caverne et les enfants en ont la chair de poule.

— Eh bien, puisque c'est comme ça, va épouser ce

gringalet loin d'ici ! À partir de cet instant, tu n'es plus ma fille !

Un grand silence se fait. Colosse d'Argile hésite, mais pas Roche Tendre. Elle prend son amoureux par la main, ils sortent de la caverne et, bientôt, ils disparaissent dans le soir qui tombe.

Balthazar murmure à l'oreille de Cléo :

— Je crois que je commence à comprendre... À l'époque des hommes préhistoriques, il fallait appartenir à une tribu. Sinon, on ne pouvait pas survivre. Voilà qui explique les terribles remords du fantôme. En chassant sa fille, il est persuadé de l'avoir condamnée à mort !

— J'ai une idée ! s'exclame Cléo. Nous allons rattraper Roche Tendre et Colosse d'Argile, pour les persuader de revenir dans la tribu ! Comme ça, nous délivrerons aussi le fantôme.

Elle bondit sur ses pieds, mais son ami la retient.

— Attends, Cléo ! Il fait nuit. Ce serait trop dangereux d'y aller maintenant, avec les

bêtes sauvages qui rôdent. Nous rechercherons les amoureux demain. Pour l'instant, nous devons reprendre des forces.

Devant le feu, les femmes s'affairent. Certaines mettent des galettes de céréales à tiédir sur des pierres. D'autres jettent des herbes sur la viande. D'autres encore préparent des aiguilles en os et toutes sortes d'outils minuscules en pierre taillée.

— Qu'est-ce que vous allez faire avec ça ? demande Cléo à une fille de son âge.

Celle-ci désigne un chasseur allongé, qui saigne beaucoup.

— Cet homme a eu le ventre déchiré par une corne d'aurochs. Nous allons le lui recoudre.

Cléo ouvre des yeux ronds.

— Oh, là, là ! Heureusement que je ne sais pas coudre !

— Il faudra bien que tu apprennes, répond la fille en haussant les épaules.

« Pas question, pense Cléo. Dès qu'on aura ramené les amoureux et délivré le fantôme, on reviendra chez nous, au XXIe siècle. »

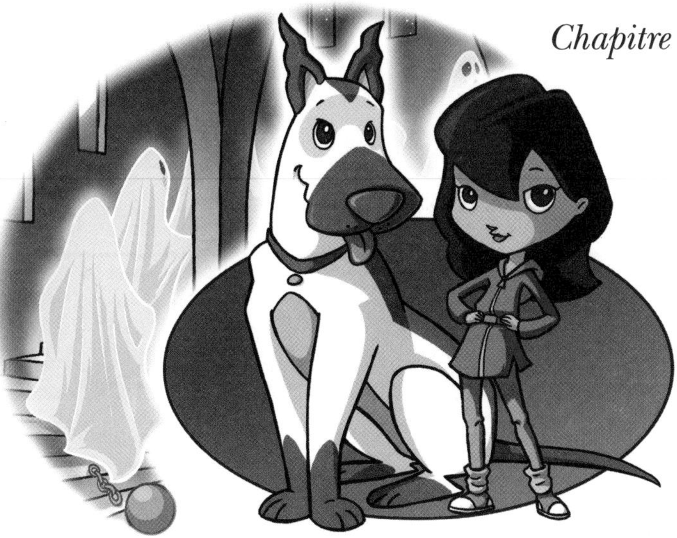

Chapitre 4

À la poursuite des amoureux

Les femmes distribuent la viande et les galettes. Les enfants se brûlent un peu les doigts en les attrapant, mais ils trouvent ce repas délicieux.

— Il faudra que je donne cette recette à mes parents, dit Cléo à Balthazar.

Lorsque les enfants se sont rassasiés, ils se serrent l'un contre l'autre sur un matelas d'herbes sèches, recouvert d'une peau d'aurochs.

— Hé, Balthazar, murmure Cléo. En partant à la recherche des amoureux, il faudra aussi qu'on retrouve Grodof.

Son meilleur ami ne répond pas.

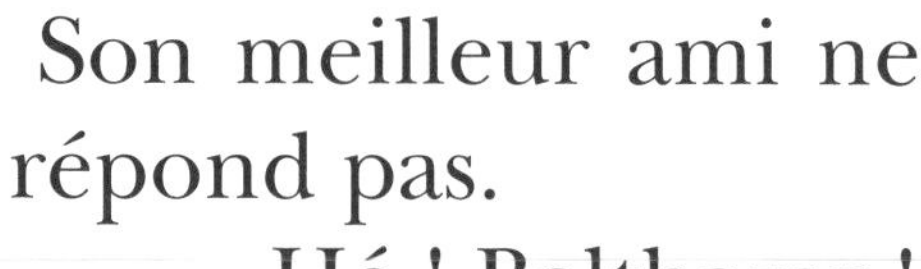

— Hé ! Balthazar !

Elle se soulève sur un coude pour

le regarder. Sa journée l'a tellement épuisé qu'il s'est endormi instantanément.

L'aube se lève. Debout devant la caverne, Grand Cerf Rouge se frappe la poitrine en gémissant :

— Ma fille... Ma pauvre fille adorée...

Cléo attrape une besace en peau, puis ramasse dans les braises plusieurs galettes de

céréales bien chaudes. Elle en tend une à Balthazar.

— Tiens, mange ! Il faut vite partir retrouver Roche Tendre et Colosse d'Argile.

Il la suit hors de la grotte en bâillant à s'en décrocher la mâchoire.

— Facile à dire, Cléo !

— Tu aurais été où, toi, si on t'avait chassé de ta tribu ?

— Le plus loin possible, vu la colère de Grand Cerf Rouge. Mais hier, j'ai appris un truc : c'est compliqué de marcher au milieu des herbes hautes qui n'ont jamais été tondues. Elles sont pleines de buissons épineux. C'est seulement au bord de la rivière que… Cléo, je sais ! Ils ont suivi la rivière !

— Mais oui ! Balthazar, tu es génial. Ils l'ont suivie dans quel sens ?

— Euh… Comment veux-tu que je le sache ?

— Allons voir. On trouvera peut-être un indice.

Au bord de l'eau, les enfants scrutent l'argile et le sable.

— Regarde ! s'écrie soudain Cléo. Des gens ont marché là !

Observant les traces de pas avec attention, ils remarquent que certaines sont profondes mais rapprochées. Tandis que d'autres, moins marquées, sont beaucoup plus espacées.

— Deux personnes qui marchaient côte à côte… explique Balthazar. Une femme plutôt

petite et massive… Et un homme grand et léger… Roche Tendre et Colosse d'Argile !

— Tu as raison !

Les traces de pas longent la rivière vers l'aval. Les enfants marchent un bon moment.

Soudain, les pas disparaissent ! À cet endroit, la rivière semble profonde.

— Oh, là, là, s'inquiète Balthazar. À mon avis, ils étaient tellement désespérés qu'ils se sont jetés à l'eau ! Jamais le fantôme ne pourra trouver la paix…

Cléo secoue la tête :

— Mais non, voyons ! Quand on est amoureux, comme Roche Tendre et Colosse d'Argile, on a envie de vivre !... Ah... Grodof me manque... Et puis, il aurait pu nous aider. Tu crois qu'il s'est retrouvé nez à nez avec un ours ?

— J'espère que non !

Chapitre 5

Grodof a du flair

Portant ses doigts à ses lèvres, Cléo fait jaillir un sifflement strident. Au loin, un aboiement lui répond.

— C'est lui ! J'en suis sûre !

Elle siffle de nouveau plu-

sieurs fois. Et brusquement, un animal souple et poilu se jette sur elle. Il a des oreilles tirebouchonnées.

— Ouaf ! Ouaf !

Cléo et Grodof se roulent ensemble dans les herbes hautes.

— Mon chien ! Comme je suis heureuse de te retrouver !

Il lui lèche le visage, l'air de dire : « Tu m'as manqué aussi, Cléo ! » Elle se redresse, tout échevelée.

— On a besoin de toi, Grodof. Suis ces traces de pas. Allez !

Le chien renifle

l'herbe, le sable et l'argile, hésite… puis saute dans la rivière ! Balthazar pousse un gros soupir :

— Je te l'avais bien dit, Cléo !

— Attends… Ils ne se sont pas forcément noyés ! Ils ont peut-être voulu brouiller leur piste.

Elle remarque des branchages qui flottent en descendant le courant.

— Et s'ils s'étaient accrochés à un tronc d'arbre ? C'est l'été, l'eau est tiède.

Le chien revient sur la rive et s'ébroue près d'eux. Cléo tend son visage vers la pluie de gouttelettes.

— Ah ! Ça rafraîchit. Merci, Grodof !

Tous les trois, ils se mettent à courir le long de la rivière. Jusqu'à ce qu'essoufflés, ils préfèrent marcher. Lentement, le soleil monte dans un ciel d'azur. On entend le crissement des insectes, le chant des oiseaux et, de temps en temps, la course d'un mammifère qui veut en dévorer un autre.

— Je suis contente que Grodof soit avec nous, dit Cléo. Si une bête sauvage s'approche, il nous préviendra. Alors, on se dépêchera de grimper dans un arbre.

Un peu plus tard, Balthazar s'exclame :

— J'ai vraiment très faim !

De sa besace, Cléo sort des galettes et deux pommes. Les enfants s'assoient pour les manger.

— Moi aussi, dit Cléo. Et je commence à en avoir assez de marcher. C'est très beau, la préhistoire... La nature est toute neuve, toute brillante... Pas de pollution ni de coups de klaxon... Mais quand même, la vie y est bien fatigante ! J'espère qu'on

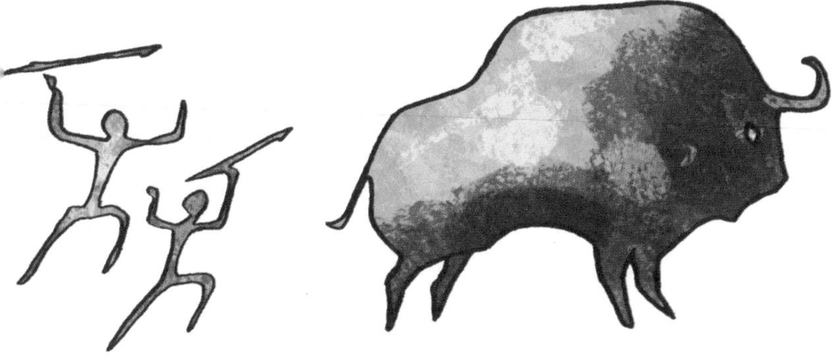

va bientôt les rejoindre, ces amoureux. Et qu'ils accepteront de revenir dans leur tribu. Ensuite, on rentre chez nous, d'accord ?

Elle remarque alors de petites taches rouges dans un buisson.

— Des fraises des bois !... Miam !... Hum... Vraiment délicieuses, ces fraises.

Après s'être régalés, ils reprennent leur marche le long de la rivière. Enfin, ils aperçoivent de nouveau les traces de pas sur la rive, tout près d'un arbuste détrempé.

— Cléo, tu avais vu juste ! dit Balthazar. Roche Tendre et Colosse d'Argile ont descendu la rivière accrochés à cet arbuste. Et là, ils sont sortis de l'eau.

— Mais à partir d'ici, on ne voit plus rien. La végétation est trop dense. Grodof ! Viens ! Flaire, mon chien, flaire…

Le chien prend le temps

de renifler autour de l'arbuste, puis il file tout droit en direction de la falaise.

— Il a retrouvé leur piste !

Chapitre 6

Un loup apprivoisé

À pas de loup, les enfants s'approchent. Assis devant un feu, Roche Tendre et Colosse d'Argile semblent fatigués et inquiets. Ils sucent inlassablement les mêmes arêtes de

poissons et les mêmes trognons de pommes.

Colosse d'Argile prend sa tête entre ses mains.

— Pauvre Roche Tendre... Ton père avait raison. Je ne suis même pas capable de te nourrir correctement.

— Nous allons apprendre à nous débrouiller, dit gentiment son amoureuse. La chasse n'est pas ton fort, mais tant pis. Trouvons une autre idée !

Secouant la tête, le jeune homme se lève. Ses yeux intelligents et doux sont pleins de tristesse.

— Seuls, nous ne pourrons jamais nous en sortir. Allez, viens, je te ramène dans la tribu.

— Il n'est pas question que je retourne là-bas ! Jamais !

Cléo bondit de derrière le buisson qui la cachait, bientôt suivie par Balthazar.

— Tu sais, Roche Tendre, ton père regrette déjà de t'avoir chassée, dit-elle. Si tu reviens, je pense qu'il vous accueillera bien, tous les deux.

Les amoureux sursautent.

— Pas du tout ! s'indigne la jeune fille. Je le connais par cœur ! Pour l'instant, il a peut-être des regrets. Mais jamais il ne changera d'avis au sujet de Colosse d'Argile.

Déçue, Cléo ne se laisse pourtant pas décourager.

— Bon, alors, on va vous aider autrement. Nous allons trouver comment vous pourriez vous nourrir sans avoir besoin de chasser…

— Hum, hum… murmure Colosse d'Argile, l'air sceptique devant la petite taille des enfants.

Cléo lui lance un grand sourire.

— Il n'y a pas que les muscles dans la vie. Vous le savez bien, monsieur Colosse d'Argile. Et mon ami Balthazar connaît énormément de choses !

Pendant qu'elle parle, le cerveau de Balthazar fonctionne à toute allure. Il ne veut surtout pas décevoir sa meilleure amie. Alors, il essaie de se souvenir de tout ce qu'il a appris sur son ordinateur, à la télévision et dans les livres, au sujet de la préhistoire...

Voyons, voyons... Qu'est-ce qui a bien pu améliorer la vie des hommes, depuis l'invention du feu ?

Pendant que Balthazar réfléchit, Grodof jaillit des herbes hautes. Il s'approche des amoureux pour les renifler amicalement. Effrayés, Roche Tendre et Colosse d'Argile se lèvent d'un

bond, en brandissant leurs silex.

Cléo s'interpose.

— Ne vous inquiétez pas ! Grodof n'est pas dangereux !

— Tous les loups sont dangereux ! s'écrie Colosse d'Argile.

— Grodof n'est pas un loup, c'est un chien.

— Un chien ?

— C'est comme une sorte de loup, mais apprivoisé.

— Apprivoisé... ? Qu'est-ce que ça veut dire ?

Cléo explique :

— J'ai adopté Grodof quand il était un chiot. C'est moi qui me suis occupée de lui : je l'ai nourri, je l'ai rassuré quand il avait peur, et aussi, je lui ai appris à m'obéir.

Elle casse la branche d'un arbuste et la montre à son chien.

— Va chercher !

Et elle le lance au loin. Grodof file à travers les herbes. Quelques secondes plus tard, il ramène la branche dans sa gueule, en frétillant de la queue. Il la dépose aux pieds de Cléo, qui lui caresse la tête.

— Bravo, Grodof ! Bravo, mon chien!

— Bravo, Cléo ! ajoute Balthazar, à leur grande surprise à tous. Tu viens de me donner une idée formidable.

Chapitre 7

L'invention de Balthazar

Commencent alors plusieurs heures de travail acharné. D'abord, les enfants choisissent un endroit où la falaise forme une sorte de

cuvette naturelle, ouverte d'un seul côté.

Cléo est chargée de couper un maximum d'herbes hautes, à l'aide d'un silex finement taillé. Elle en fait un gros tas au fond de la cuvette, non loin d'un endroit où coule une source.

Pendant ce temps, Balthazar explique aux amoureux qu'ils doivent construire un mur de rochers entre les deux bords de la falaise.

Roche Tendre pousse un gros soupir fatigué. Mais les yeux de Colosse d'Argile pétillent.

— Vous voyez cet éboulis de rochers ? dit-il. À partir de là, posons sur le sol des branches bien taillées, sur lesquelles nous ferons glisser les rochers.

— Excellente idée ! l'approuve Balthazar.

Roche Tendre lance un regard admiratif à son amoureux. Ensemble, ils poussent une première grosse pierre. Aidée par

la pente et le chemin de branches, elle glisse jusqu'à l'autre bord de la falaise.

Bientôt, elle est suivie d'une autre pierre, puis encore d'une autre… À la fin de l'après-midi, un mur ferme presque entièrement la cuvette dans la falaise. Il ne reste qu'un passage au milieu.

Au coucher du soleil, les amoureux, les enfants et le chien se postent près de la rivière. Ils se partagent les dernières galettes. Pour s'aider à patienter, Cléo pose doucement sa main sur la

tête de Grodof. Balthazar, lui, profite de ce répit pour examiner de plus près ses vêtements.

— Je n'aurais jamais cru que c'était si lourd à porter, ces peaux de bêtes... Bien sûr, c'est chaud, c'est doux... Et les coutures semblent drôlement solides...

Soudain, des pas massifs font trembler la terre ! Les aurochs reviennent pour se désaltérer.

Avec beaucoup de courage, Colosse

d'Argile, Roche Tendre, Cléo et Balthazar se dressent devant les énormes vaches et taureaux couverts de poils. Agitant leurs bras armés de bâtons, ils poussent des cris suraigus.

— Ho ! Ho!

Complètement paniqués, les aurochs font demi-tour en direction de la falaise.

En criant, les amoureux et les enfants les dirigent vers la cuvette.

— Allez !

— Par ici, les gros monstres !

Quant à Grodof, il mordille les mollets de ceux qui veulent prendre un autre chemin.

Devant l'ouverture dans le mur de rochers, les aurochs hésitent à cause de l'étroitesse du passage. Mais quelques cris et aboiements plus tard, ils

finissent par foncer tous à l'intérieur.

Vite, avant que les animaux ne comprennent qu'ils sont dans un cul-de-sac, Roche Tendre, Colosse d'Argile, Cléo et Balthazar poussent un dernier rocher.

Cette fois, la cuvette est entièrement fermée, et les aurochs prisonniers !

Chapitre 8

Sauvés !

Cléo et Balthazar sautent de joie et les amoureux s'embrassent, enthousiastes. De l'autre côté du mur, les aurochs sont furieux : en mugissant, ils se

ruent vers les rochers… ce qui ne sert qu'à raboter leurs cornes gigantesques.

Brusquement, Grodof se met à gronder. Le fantôme de Grand Cerf Rouge a surgi entre Cléo et Balthazar. Mais seuls le chien et les enfants semblent le voir, tandis que Roche Tendre et Colosse d'Argile continuent d'observer les aurochs avec beaucoup d'intérêt.

Le fantôme paraît complètement abasourdi.

— Que fabrique ma fille ?

— Grand Cerf Rouge,

ne te fais plus aucun souci ! s'écrie Cléo. Roche Tendre et Colosse d'Argile viennent d'inventer l'élevage.

— L'élevage ? répète le fantôme, perplexe. C'est quoi, l'élevage ?

Balthazar se lance dans une grande explication :

— Ta fille et son amoureux vont nourrir les aurochs. Peu à peu, ceux-ci se laisseront approcher sans charger.

— Quelle blague ! Les aurochs sont aussi féroces que stupides !

— Oui, à l'état sauvage, dit Balthazar.

— Un jour, précise Cléo, Roche Tendre pourra venir traire les aurochs femelles. Leur lait servira à préparer des fromages.

Le fantôme écarquille les yeux. Balthazar ajoute :

— Colosse d'Argile et elle pourront aussi couper leur laine. Ils se laisseront faire.

— Pas possible !

— Avec cette laine, ta fille et son amoureux fabriqueront des vêtements chauds, bien plus pratiques que les peaux de bêtes.

— Et puis, de temps en temps, ils pourront manger un aurochs.

Soudain, le visage du fantôme s'illumine.

— J'ai compris ! L'élevage est vraiment quelque chose de très astucieux... Mais alors ? Ma fille va survivre !

— Elle et Colosse d'Argile auront sûrement plein d'enfants, assure Balthazar. Ils vont fonder une nouvelle tribu.

Un sourire très doux illumine le visage du fantôme.

— Ma fille chérie est sauvée… En la chassant de notre tribu, je ne l'ai pas condamnée ! Quel bonheur !

Il se tourne vers Cléo et Balthazar. Son boulet a disparu et il semble devenir de plus en plus transparent.

— Ah, merci, les enfants ! Vous m'avez soulagé d'un grand poids. Grâce à vous, je sens que je vais pouvoir…

Avant de finir sa phrase, il a disparu.

— Cette fois, dit gaiement Cléo, je

crois bien qu'il est parti au Pays du Repos Souriant !

Pendant qu'elle parle, tout se met à tourner autour d'elle : la falaise, la rivière, l'enclos des aurochs, les amoureux...

Les voilà de retour dans le Château des Ombres. Le fantôme a disparu, Grodof a perdu ses poils longs, et Balthazar retrouve avec plaisir son pyjama au tissu léger.

Par terre, ils voient le silex qui les a

conduits dans le passé. Il n'est plus transparent et il ressemble maintenant à n'importe quelle pierre taillée. Cléo s'accroupit pour le ramasser.

— Quand même, ils étaient géniaux ces hommes préhistoriques ! Arriver à fabriquer toutes sortes d'outils avec des cailloux !

Elle cache le silex sous l'escalier du donjon, à côté de la couronne du Pharaon, du coffret de Barbe-Jaune, et de l'épée de Béranger.

— Wahou ! On com-

mence à avoir une belle collection d'objets du passé ! dit fièrement Balthazar.

— Et on va la continuer, assure Cléo.

Quelque part dans le Château des Ombres, l'horloge invisible sonne… treize coups !

FIN

Bientôt, Cléo, Balthazar et Grodof vivront une nouvelle aventure merveilleuse. Ils voleront au secours d'un fantôme à la cour de Louis XIV.

La surprise du Roi-Soleil

Bienvenue à la cour ! Quand ils arrivent à Versailles, Cléo, Balthazar et Grodof sont très excités : et s'ils rencontraient Louis XIV ? Mais ce n'est pas le Roi-Soleil qui a besoin d'eux… Non, c'est Fanchette, une fille de leur âge. Et pour l'aider, ils n'auront qu'une journée !

Les as-tu tous lus ?

La momie du Pharaon

Le trésor de Barbe-Jaune

Le tournoi maudit

Donne ton avis à l'auteur !

Sophie, l'auteur, hésite entre plusieurs époques pour la prochaine aventure de Cléo, Balthazar et Grodof :

- *La Grèce antique*
- *La révolution française*
- *L'époque des Vikings*

Alors, laquelle tu préfères ?
Réponds à Sophie et envoie-lui tes idées d'aventures ou même tes dessins de fantômes !

Tu peux lui écrire à l'adresse mail suivante :

contact@ghostsecret.fr

OU lui envoyer une lettre ou tes dessins à :
Hachette Jeunesse Roman
Ghost Secret
43 quai de Grenelle
75905 Paris Cedex 15

N'oublie pas de bien indiquer tes coordonnées.

Table

Table

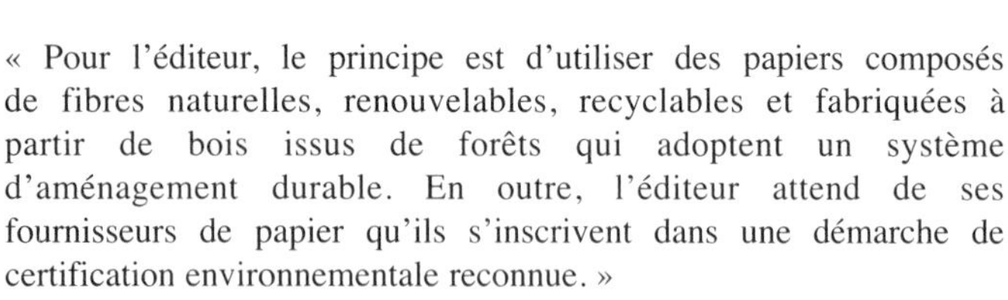
« Pour l'éditeur, le principe est d'utiliser des papiers composés de fibres naturelles, renouvelables, recyclables et fabriquées à partir de bois issus de forêts qui adoptent un système d'aménagement durable. En outre, l'éditeur attend de ses fournisseurs de papier qu'ils s'inscrivent dans une démarche de certification environnementale reconnue. »

Imprimé en France par Jean-Lamour - Groupe Qualibris
Dépôt légal : février 2008
20.20.1531.1/01 – ISBN 978-2-01-201531-9
Loi n°49-956 du 16 juillet 1949
sur les publications destinées à la jeunesse